# JULIUS VOIT ROUGE

À la
Stanley  'y.

Juin 2001

Bonne lecture !!

Roxanne Sageau

Nous remercions le Conseil des Arts du Canada ainsi que la Société de développement des entreprises culturelles du Québec (SODEC) pour l'aide accordée à notre programme de publication. Nous reconnaissons l'aide financière du gouvernement du Canada par l'entremise du Programme d'aide au développement de l'industrie de l'édition (PADIE) pour nos activités d'édition. **Canada**

Le Loup de Gouttière
347, rue Saint-Paul
Québec (Québec)
G1K 3X1
Téléphone : (418) 694-2224
Télécopieur : (418) 694-2225
Courriel : loupgout@videotron.ca

Dépôt légal, 1er trimestre 2001
Bibliothèque nationale du Québec
Bibliothèque nationale du Canada
ISBN 2-89529-036-9
Imprimé au Québec

Roxanne Lajoie

# JULIUS VOIT ROUGE

ROMAN

Illustrations Hubert Simard

Les petits loups

Le Loup de Gouttière

À Serge

# LE CHANDAIL DE CAPUCINE

**U**n petit pincement au cœur, c'est ce que Julius a ressenti en voyant le magnifique chandail de laine rouge de Capucine. Un beau rouge cramoisi de joues jalouses. Elle a sorti le chandail d'une boîte de carton bleu que lui a envoyée sa marraine pour son anniversaire. Sur le carton de la boîte, des flocons de neige étaient dessinés. Ces flocons sont devenus de petites étoiles mouillées dans les yeux rieurs de Capucine. Julius, lui, n'arrive pas à les avaler. Les fleurs de glace se sont

logées dans sa gorge. Et elles ne
fondent pas. Julius désire depuis
longtemps avoir un chandail rouge.

# LE PLAN DE JULIUS

– **J**ulius ! Viens déjeuner, lui crie papa du bas de l'escalier.

Il ne doit surtout pas être vu avec le tricot de Capucine. On ne l'autoriserait pas à le porter. C'est donc en pyjama qu'il descend à la cuisine. Papa s'affaire autour de l'évier. Maman lit le journal en buvant du café. Julius s'installe à table devant un gros bol de céréales musicales. « Cric, crac, croc », chantent-elles en duo avec le lait. Mais Julius n'a pas le temps d'écouter leur symphonie. Il ouvre grande sa bouche et dévore la musique. Maman le regarde, les sourcils froncés.

– Tu es encore en pyjama ! lui reproche-t-elle. Tu vas manquer ton autobus.

– Non, non. J'ai fini, lui répond-il, la bouche encore pleine de céréales humides.

Avant que maman ne réplique, il remonte les marches en courant, les avale deux par deux. Une fois dans la salle de bain, il ouvre le robinet du lavabo — il s'agit de créer une diversion pour qu'on ne se doute de rien. Alors, plutôt que de se brosser les dents, Julius s'approche du cadre de porte. Parfait. Ses parents sont toujours en bas. Ils discutent à la

cuisine. Cela lui laisse le temps d'exé-
cuter son plan.

En longeant le mur du couloir,
Julius se faufile dans la chambre de
Capucine déjà partie à l'école. Le tricot
de laine rouge se trouve au sommet
d'une montagne de vêtements qui
s'élève juste à côté de la porte. « C'est
trop facile, se dit-il, je n'ai même pas
besoin de le chercher. » Il s'empare
rapidement du tricot. Retourne dans la
salle de bain. Verrouille la porte. Le
robinet coule toujours. Il enlève son
pyjama. Met son jeans et son t-shirt
jaune. Enfile le chandail rouge par-
dessus.

— Dépêche-toi, Julius, l'autobus va
arriver, lui crie papa, toujours du bas
de l'escalier.

Il s'empresse de mettre son habit de neige, son foulard et sa tuque.

Avant de quitter la salle de bain, Julius ferme le robinet. Il a juste le temps de mettre ses bottes avant que l'autobus ne s'arrête devant la maison. Ses mitaines, sa boîte à lunch, un baiser de maman sur la joue droite, un autre de papa sur la joue gauche et, déjà, la porte se referme derrière lui. Ça a marché ! Ils ne se sont aperçus de rien.

# LE ROUGE DE JULIUS

**M**adame Sénécal fait entrer les élèves dans la classe. Elle leur demande de se placer en rang d'oignons. Ça fonctionne toujours assez bien, parce que madame Sénécal est une excellente jardinière. Mais, aujourd'hui, Julius est dans la lune. Et comme les oignons ne poussent pas sur la lune, il oublie de prendre sa place dans le rang.

– Julius, qu'est-ce que c'est que ces manières ? s'étonne madame Sénécal.

– Regagne ta place !

Trop tard. Il retire déjà son habit de neige et se retourne, triomphant, vers ses camarades. Ceux-ci le contemplent, amusés.

– Regardez Julius ! crie le grand Paul. Il a mis un chandail rose.

Et toute la classe éclate de rire. Même Marion, sa meilleure amie, s'esclaffe.

– Vous êtes malades, répond Julius, surpris. Il est rouge, mon tricot.

– C'est toi qui es malade, Julius, dit encore le grand Paul.

Et il se met à scander, imité par quelques autres : « Julius a l'air d'un radis ! Julius a l'air d'un radis !... »

Julius s'attendait bien à une réaction de la part de ses camarades, mais

certainement pas à celle-là. Il a une boule froide au fond de la gorge. Ce sont les fleurs de glace qui ne fondent pas. Des roses gelées aux mille épines qui lui raclent la gorge quand il avale. Ses yeux s'embuent. Il lève son regard mouillé pour chercher celui de madame Sénécal.

– C'est vrai que le tricot de Julius est rose, confirme-t-elle. En fait, il est fuchsia, mais ce n'est pas une raison pour se moquer de lui. Enlevez votre manteau et allez vous asseoir à votre pupitre. Maintenant, ajoute-t-elle avec autorité.

Elle s'approche de Julius qui ne comprend rien.

– Mais il est rouge, mon chandail, s'obstine-t-il à répéter.

L'institutrice lui passe un bras autour des épaules.

– Il est bien fuchsia, lui assure-t-elle d'un ton doux et compréhensif. Mais ce n'est pas grave. Peut-être as-tu un problème pour distinguer les couleurs. Il faudra en parler à tes parents.

« Oh non ! pense Julius, en avalant avec peine. À la maison, on va savoir que j'ai emprunté le chandail de Capucine. »

# LES LARMES DE JULIUS

En fin d'après-midi, le chauffeur de l'autobus scolaire fait descendre Julius au coin de la rue. Comme tous les jours. Sauf qu'aujourd'hui, il ne rentre pas tout de suite à la maison. Il s'assoit sur un banc de neige à quelques pas de chez lui. Il pense à sa misérable journée. Bien sûr, il a vite retiré le tricot de Capucine et les camarades ont oublié l'incident. Mais pas lui. Il n'arrête pas d'y penser et ne comprend toujours rien. Fuchsia. Rouge. Fuchsia, a confirmé l'institutrice.

Perdu dans ses réflexions, Julius ne voit pas le temps passer. Le soleil se couche et il commence à faire froid. Une fourgonnette blanche s'arrête à ses côtés. Il ne reconnaît même pas papa au volant. Ni maman qui descend la vitre pour lui parler :

– Qu'est-ce que tu fais là, assis dans la neige ? Tu vas attraper le rhume. Allez, monte ; Capucine doit nous attendre pour souper.

Julius s'assoit dans la fourgonnette, sans dire un mot. Les épines des roses gelées s'enfoncent dans sa gorge.

– Comment ta journée à la maternelle s'est-elle passée ? lui demande papa.

Julius n'arrive pas à répondre. Ses yeux s'emplissent d'eau. Les larmes s'accrochent avec peine à ses cils. Il pense à Capucine qui l'attend à la maison. Il voit maman le regarder, intriguée, puis entend papa répéter sa question. Mais le pire, c'est le rire des camarades qui résonne toujours dans ses oreilles. Papa stationne la voiture dans l'entrée et se tourne vers Julius, juste à temps pour voir les premières larmes s'échapper de ses yeux.

– Qu'est-ce qui ne va pas? questionne-t-il, légèrement inquiet.

Julius n'arrive toujours pas à répondre. Il entre dans la maison, étranglé par les sanglots. Capucine arrive en courant.

– Qu'est-ce qu'il a, Julius? demande-t-elle en apercevant les larmes de son frère.

– Nous ne savons pas, répond papa.

– Ce... c'est...Capucine... le grand Paul... un radis, essaie d'expliquer Julius.

Mais les mots se mêlent à ses pleurs et personne ne comprend.

– Calme-toi, lui recommande doucement maman. Enlève ton habit de neige et viens t'asseoir.

Julius se déshabille. Mitaines, tuque, foulard, bottes, il enlève tout ce qu'il peut avant son manteau. Puis, comme il n'a pas le choix, il retire aussi son habit de neige et avance au salon en regardant ses pieds.

– Qu'est-ce que tu fais avec mon chandail ? s'écrie Capucine en le voyant.

Maman lui jette un regard du genre Capucine-ce-n'est-pas-le-moment qui lui cloue le bec aussitôt. Julius s'assoit et se met à parler en reniflant. Contrariée, Capucine s'enfonce dans un fauteuil, les bras croisés. Elle ne quitte pas Julius des yeux. Ses deux petites fentes noires engloutissent sans les digérer chacune des paroles de son frère.

— Tout le monde dit que le chandail de Capucine est rose. À l'école, ils ont ri de moi.

— Qu'est-ce qu'en dit madame Sénécal ? questionne maman.

— Elle dit que c'est vrai qu'il est fuchsia. Dis-le, toi, maman, que le chandail de Capucine est rouge.

Maman s'approche de Julius et lui prend les mains.

— Je suis désolée, mon poussin, le tricot de Capucine est bien fuchsia.

Puis elle lève les yeux vers papa :

– Peut-être devrions-nous consulter un spécialiste des yeux. Il pourrait certainement nous expliquer pourquoi Julius voit le tricot rouge et non fuchsia.

Papa acquiesce d'un hochement de tête.

– En attendant, propose-t-il, allons préparer le souper. Tu viens nous aider, Julius ? Ce soir, nous cuisinons ton repas préféré.

– Des spaghettis ! s'exclame Julius en oubliant ses pleurs.

Et ils quittent le salon, oubliant aussi Capucine, furieuse : on n'a pas puni Julius qui a pourtant mis son chandail sans lui demander la permission.

# LES YEUX DE JULIUS

La neige a fondu. Les arbres ont retrouvé leurs feuilles. Quelques fleurs poussent sur le parterre des maisons. Des tulipes. Des lilas. Des pivoines. De toutes les couleurs. Mais Julius ne sait plus lesquelles. Aujourd'hui, il a enfin rendez-vous avec l'ophtalmologiste.

Le docteur Lemieux a son bureau en haut d'une tour. Dans l'ascenseur qui grimpe jusqu'à lui, Julius se regarde dans les murs-miroirs. Il y voit quatre sosies de lui : un devant qui le dévisage ;

un derrière qui lui tourne le dos ; un à gauche et un autre à droite qui regardent devant et qui l'ignorent. En fait, il y en a beaucoup plus, parce que le Julius du mur-miroir de droite se reflète derrière le Julius du mur-miroir de gauche qui se reflète derrière celui de droite qui… Ouf ! c'est étourdissant de se voir à la fois regardé et ignoré par soi-même à l'infini. Ce qui est bien, par contre, c'est que les murs-miroirs de l'ascenseur sont teintés. On n'y distingue pas clairement les couleurs. Tous les Julius de l'ascenseur sont en noir et blanc. C'est plutôt amusant. Surtout quand la porte-miroir s'ouvre et sépare les Julius de devant et de derrière en deux.

Les murs du cabinet du docteur Lemieux sont peints en brun. Il n'y a

qu'une seule fenêtre qui donne sur la ville. La vitre en est teintée : elle empêche le soleil de pénétrer dans le bureau. « C'est pour ça qu'il y a des néons au plafond qui font cligner des yeux, constate Julius. C'était plus drôle dans l'ascenseur. »

Le docteur Lemieux est assis derrière son bureau. Sans se lever, il invite Julius et papa à s'asseoir devant lui.

– Que puis-je faire pour toi, mon petit ? demande-t-il.

– On vient vous voir parce que je ne sais pas mes couleurs, répond Julius.

– En fait, docteur, il semblerait que mon fils ne perçoive pas les couleurs comme nous, corrige papa.

Et il lui raconte l'histoire du tricot de Capucine.

– Je vois, je vois, répète le docteur, en ajustant ses lunettes sur son nez. Nous allons en avoir le cœur net.

Là-dessus, il ouvre le tiroir de son bureau et en sort des cartons blancs avec des dessins de couleur.

– C'est très simple, mon petit, tu n'as qu'à regarder ces dessins et à me dire ce que tu vois.

Sur le premier carton, Julius voit un carré bleu marine avec des points orange qui forment le chiffre sept. Sur le deuxième, une boule brun chocolat au lait avec de petits cœurs vert forêt.

– Hum ! fait le docteur Lemieux en prenant des notes.

Sur le troisième carton, Julius voit un triangle rouge sang avec des spirales jaune soleil et grises. Puis, sur le quatrième, un tourbillon de rose *nanane* avec des pastilles or.

– Voilà ce qu'il y a, mon petit Julius, lui dit le docteur Lemieux. Tu confonds certaines couleurs entre elles, alors qu'il y en a d'autres que tu ne perçois pas.

Il reprend les cartons et précise les vraies couleurs des dessins.

– Sur le premier carton, il y a bien un carré bleu marine avec des points orange qui représentent le chiffre sept. Par contre, sur le deuxième carton, la boule est vert forêt et les petits cœurs sont brun chocolat au lait. Le triangle du troisième carton n'est pas rouge, mais fuchsia; les spirales, elles, sont jaune soleil, comme tu les perçois, mais il y en a aussi des rose pâle et non des grises. Quant aux couleurs du tourbillon que tu vois sur le quatrième carton, elles sont justes.

Julius écoute le docteur Lemieux, mais a un peu de mal à le suivre. Ça se voit dans son regard. Alors, le docteur clarifie les choses :

— Mon petit Julius, tes yeux n'arrivent pas à distinguer le fuchsia du rouge. Pour toi, c'est la même chose.

— C'est pour ça que je vois le chandail de Capucine rouge, interrompt Julius.

— Exactement. Le rose franc, ou *nanane*, si tu préfères, tu le vois très bien. Mais, quand le rose est trop foncé, tu le vois rouge. Quand il est trop pâle, tu le vois gris. Tu confonds également le brun et le vert.

– Alors, les murs de votre bureau ne sont pas bruns, mais verts, commence à comprendre Julius.

– Effectivement, acquiesce le docteur Lemieux.

– Qu'est-ce qu'on peut faire, docteur ? demande papa.

– Il n'y a rien à faire, monsieur. Votre fils a une anomalie de la vue. Il est daltonien.

Daltonien. Julius répète ce mot dans sa tête. Ça ressemble à Dalton. À Joe Dalton. À Jack, à William et à Averell, les fameux frères Dalton après lesquels court toujours Lucky Luke. Julius Dalton. Il est le cinquième Dalton.

Avant de quitter le bureau du docteur Lemieux, il se retourne et lui fait face :

– Merci, docteur. Mais ne m'ap-
pelez plus jamais mon petit. Je suis
Julius Dalton.

Et il referme la porte derrière lui.

# LE CINQUIÈME DALTON

**D**epuis le diagnostic du docteur Lemieux, Julius est un hors-la-loi. Il ne fait plus son lit, ne range plus ses jouets, ne brosse plus ses dents. Il attire bien sûr les foudres de ses parents et se retrouve souvent en prison dans sa chambre. Ce qui lui laisse beaucoup de temps pour réfléchir.

Par la fenêtre, il observe les déplacements de Capucine, les allées et venues de ses parents. Il prépare un coup.

Dimanche après-midi, Capucine est chez une amie. Maman et papa jardinent. Il n'y a personne d'autre que lui dans la maison. Le champ est libre.

Julius s'évade de sa chambre et descend au salon. Il ouvre la télévision en prenant bien soin de couper le son. Il ne doit pas se faire repérer. Il s'empare de la télécommande et réduit la couleur au noir et blanc. Il éteint la télé. Avant de regagner sa chambre, il vole le pain baguette du souper de ce soir et un tournevis dans le coffre à outils de papa.

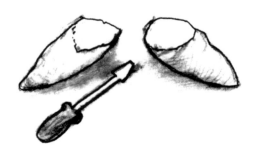

De retour dans sa cellule, il casse la baguette de pain en deux et la vide de sa mie. Il a appris ce truc de Ma Dalton : elle y cache toujours une lime qui permet à ses fils de s'évader. Mais Julius n'a pas besoin de lime, puisqu'il n'y a pas de barreaux à la fenêtre de sa chambre. C'est le tournevis de papa qu'il dissimule dans la baguette : cela pourrait être utile pour dévisser les loquets qui retiennent la porte. Julius ouvre ensuite sa garde-robe. Dans une boîte, tout en haut, maman a rangé les tuques et les mitaines jusqu'à l'hiver prochain. Il y cache la télécommande.

À cinq heures, papa et maman rentrent préparer le souper. À cinq heures trente, Capucine revient de chez son amie. À six heures, on appelle Julius et on se met à table. Au menu de ce soir, il y a du potage aux poireaux, du fromage, des pâtés, mais pas de pain. Maman s'en excuse.

– J'étais certaine d'en avoir acheté. J'ai dû l'oublier à l'épicerie.

Après le souper, maman et papa s'installent devant la télévision pour regarder une émission. La télécommande est introuvable. Elle n'est ni sous le canapé ni derrière les coussins.

– Capucine, as-tu vu la télécommande ? demande maman.

– Julius, ne l'aurais-tu pas mise quelque part ? questionne papa.

Finalement, maman appuie sur le bouton de mise en marche à l'avant du téléviseur. L'image apparaît en noir et blanc.

– Zut! sans la télécommande, il est impossible de rétablir la couleur, déclare-t-elle, contrariée.

Pendant une semaine, avant qu'on ne se décide à acheter une nouvelle télécommande, ni maman, ni papa, ni Capucine ne distinguent les couleurs en regardant la télé. Julius les a volées.

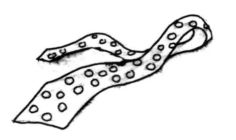

# JULIUS DALTON DÉMASQUÉ

**D**urant les jours qui suivent, le butin de Julius grossit. Papa ne trouve plus sa cravate verte ni ses bas gris. Maman perd sa blouse rose pâle et sa jupe marron. Puis, finalement, le chandail de laine fuchsia de Capucine disparaît. C'est cette dernière disparition qui met la puce à l'oreille de maman.

Lorsqu'elle entre dans la chambre de Julius, elle le trouve assis sur le tapis. Il lit sagement une bande dessinée de Lucky Luke. En levant la tête, il voit maman, immense au-dessus de lui, les poings sur les hanches. Elle n'a pas l'air contente.

– Alors, Julius Dalton, qu'as-tu fait des vêtements que tu nous as volés ? demande-t-elle sèchement.

– Quels vêtements ? répond-il d'un air innocent.

Ça ne prend pas. Maman est en colère.

– Tu ne peux rien contre moi sans preuve, finit-il par dire.

Maman est fâchée, mais quand même un peu amusée par le raisonnement de son fils qui se prend tout à coup pour un avocat. Elle ravale un sourire.

– Tu veux des preuves ? Je vais en trouver.

L'ouragan-maman se met à fouiller dans la chambre. Elle cherche sous le lit, n'y trouve que les vêtements sales que Julius n'a pas mis au lavage. Elle regarde sous le matelas, défait les draps. Elle ouvre les tiroirs de sa commode : sous un t-shirt bleu, elle trouve la baguette de pain, dure comme le roc.

– Qu'est-ce qu'une baguette de pain fait dans ton tiroir ? s'étonne-t-elle.

Julius ne répond pas. Il ne peut tout de même pas lui confier ses plans d'évasion !

Maman fouille maintenant dans le coffre à jouets. Camions, petites

voitures, casse-tête, le contenu du coffre se retrouve vite éparpillé dans la chambre. Elle regarde dans la bibliothèque, derrière celle-ci, puis ouvre la garde-robe. Julius retient son souffle : la boîte de tuques et de mitaines est en équilibre précaire sur la tablette du haut. Il ne l'a pas rangée comme il faut.

Maman commence par examiner le sol de la garde-robe. Elle regarde dans les souliers : pas la moindre trace de bas gris. Elle retire les vêtements des cintres et les lance sur le lit : jeans, pantalons, t-shirts, chemises, mais pas de blouse rose pâle, de jupe marron, de cravate verte ni de tricot fuchsia. Elle s'apprête à refermer la garde-robe quand la preuve qu'elle cherchait tombe par terre et se vide de son butin.

— Alors, Julius, qu'as-tu à dire pour ta défense ? demande-t-elle en ramassant la télécommande qu'elle ne s'attendait pas à trouver là.

— Puisqu'il y a des couleurs que je ne peux pas voir, personne ne les verra, répond-il le plus sérieusement du monde.

Bien sûr, maman comprend le problème des couleurs. Mais elle doit sévir : on a quand même dû acheter une nouvelle télécommande.

— Tu resteras dans ta chambre le reste de la journée, ordonne-t-elle. Tu réfléchiras à une solution légale pour te réconcilier avec les couleurs.

Puis elle ajoute, un petit sourire au fond des yeux :

– Profites-en pour mettre de l'ordre. On dirait qu'un cyclone a dévasté ta chambre, elle est toute à l'envers.

# LES COULEURS APPRIVOISÉES

**P**uisque Julius est sage depuis une semaine, maman l'autorise à recevoir de la visite. Il invite son amie Marion à venir jouer avec lui. Mais c'est un samedi pluvieux. Le ciel gris crache d'énormes gouttes d'eau sur la ville. On est obligé de rester à l'intérieur. Alors, Julius et Marion s'amusent à dessiner.

Ils sont assis à la table de la cuisine. Chacun penché au-dessus d'une feuille blanche, ils imaginent les Rocheuses, ces immenses montagnes situées dans l'Ouest canadien, dont leur a parlé madame Sénécal. Julius a sorti la boîte de crayons de couleur que maman et papa lui ont donnée. Une boîte de soixante crayons de toutes les couleurs. Jaune canari. Orange soleil. Bleu marine. Rouge cramoisi. Mais aussi vert pomme. Vert pré. Vert forêt. Vert olive. Brun ombre foncé. Brun ombre pâle. Ils ont pensé que ce pouvait être une bonne idée pour que Julius apprivoise les couleurs. Mais il y a tellement de teintes différentes qu'il en est étourdi.

— Bon, passe-moi le brun ombre pâle, demande-t-il à Marion, je vais dessiner des arbres. Il y a beaucoup d'arbres dans les Rocheuses... Maintenant, j'ai besoin du vert forêt pour faire des feuilles.

Marion, tout en dessinant, lui tend les crayons dont il a besoin pour réaliser sa vision des Rocheuses.

– Regarde, j'ai dessiné un ours géant mangeur d'hommes. C'est un grizzly qui grogne de toutes ses dents.

Madame Sénécal leur a expliqué que les ours qui vivent dans les Rocheuses s'appellent *grizzlys*. Puis, aux nouvelles télévisées, on a appris qu'un campeur imprudent s'était fait attaquer par un de ces ours. Voilà pourquoi le grizzly de Julius est féroce et montre ses crocs.

– Julius, ton grizzly est vert, précise Marion, gênée.

– Euh… oui. Les grizzlys sont verts dans les Rocheuses. Tu ne le savais pas ?

Marion le regarde d'un air sceptique.

– Ah ! ça ne sert à rien, se fâche-t-il en envoyant valser les crayons sur le plancher.

– Les grizzlys sont peut-être verts au printemps, risque Marion en ramassant les crayons.

– Et bruns à l'automne, ajoute Julius.

– Oui, oui, comme les feuilles dans les arbres.

– Alors, on va dessiner des grizzlys d'automne.

Les crayons se retrouvent vite éparpillés sur la table, entre les copeaux de bois laissés par le taille-crayon. On se chamaille le rouge pompier et le jaune citron. Marion monopolise l'orange soleil pendant que Julius s'empare du gris.

— Regarde, Marion, j'ai dessiné un grizzly de jour de pluie, comme aujourd'hui.

Seulement, le grizzly de Julius n'est pas gris, il est rose pâle. Mais ce n'est pas grave. C'est même tout à fait normal, parce qu'il ne pleut plus. Dehors, le soleil sèche déjà la terre, les feuilles et les fleurs. À la cuisine, Julius et Marion réinventent le monde aux couleurs du temps. Avec le bleu azur, un grizzly de plein soleil. Avec le mauve, un grizzly de lever du jour. Avec le blanc, un grizzly de tempête de neige...

Julius se réconcilie avec les couleurs grâce à la complicité de Marion. Elle

est vraiment sa meilleure amie. Plus tard, il l'épousera peut-être et elle deviendra Marion Dalton. En attendant, on colle les grizzlys sur la porte du frigo. Maman et papa sont contents : Julius a apprivoisé les couleurs. Mais attention : les grizzlys, eux, ne sont pas apprivoisés. Durant la nuit, il serait bien possible que ces ours dévorent le contenu du réfrigérateur. N'est-ce pas Julius Dalton et sa complice qui les ont dessinés ?

## À PROPOS DU DALTONISME

Le daltonisme est la maladie des couleurs. C'est une anomalie de la vue, comme l'a expliqué à Julius le docteur Lemieux. Celui qui en est atteint confond certaines couleurs et ne les perçoit pas toutes.

Cette maladie n'est pas contagieuse, elle est congénitale; c'est-à-dire qu'un bébé en est déjà atteint dans le ventre de sa mère. C'est un gène anormal qui en est la cause. Pas gêne. Gène, avec un accent grave. C'est ce que nos parents nous donnent pour que nous ayons nos yeux bleus, nos cheveux bouclés, notre nez retroussé... Le daltonisme est transmis par les mères seulement. Les pères n'ont rien à y voir. Le gène de la vue que maman a donné à Julius était donc défectueux.

# TABLE

# L'AUTEURE

ROXANNE LAJOIE a grandi sur la rive sud de Montréal. Elle a émigré vers la grande ville pour faire des études littéraires à l'Université de Montréal. Depuis, elle voyage souvent dans les livres et enseigne la littérature.

# L'ARTISTE

Lorsqu'il était tout petit, HUBERT SIMARD adorait lire et dessiner. Il aimait inventer des personnages. Avec eux, il vivait, sur papier, toutes sortes d'aventures dans des univers imaginaires. Il dessinait beaucoup en s'inspirant de ce qu'il lisait. Il s'est promis qu'un jour, lorsqu'il serait grand, il ferait des dessins pour les enfants.

# AUTRES PUBLICATIONS AU LOUP DE GOUTTIÈRE

*Le petit homme blond*, 1999
*Les oeufs... Il était douze fois*, collectif, 2000

# DANS CETTE COLLECTION

▽

---

▽ 6 ans et plus

▽ ▽ 7 ans et plus

▽ ▽ ▽ 9 ans et plus

Achevé d'imprimer
en mars 2001 sur les presses
de l'imprimerie H.L.N.
de Sherbrooke.